Ce livre appartient à

....

....

Il faut le lui rendre

Mères, publié par les Editions Autrement, 17 rue du Louvre, 75001 Paris.
Conception graphique : A. Rosenstiehl ; assistant : Kamy Pakdel
Tous droits réservés. © Rosenstiehl & Autrement
ISBN : 2-86260-790-8
Dépôt légal : 1er trimestre 1998
Imprimé et relié en France par Partenaires

Agnès Rosenstiehl

Mères

Editions Autrement - Petite Collection de Peinture

Voilà une femme
qui voudrait peut-être devenir mère ?

Marie-Thérèse Lanoa

Pour devenir mère,
une femme doit trouver un homme.

Pablo Picasso

Voilà une femme
qui va bientôt devenir mère.

Piero della Francesca

Quand l'enfant est né,
sa mère lui donne à boire du lait.

Giorgione

Elle le regarde,
elle le berce,
elle le regarde encore,
elle le berce encore…

Georges de La Tour

Quelquefois elle le chatouille...

Alonso Berruguete

Quelquefois ils font la bagarre…

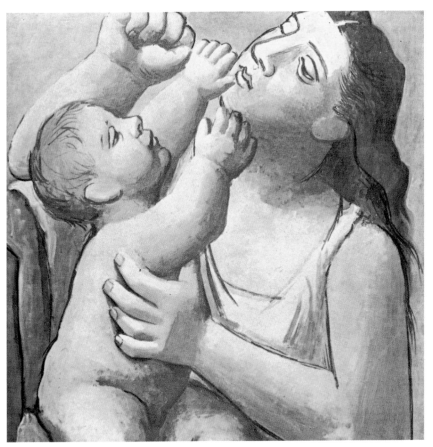

Pablo Picasso

Voilà une mère
qui veut protéger son enfant.

Michel-Ange

Voilà un enfant
qui ne veut pas que sa mère le protège !

Paolo Uccello

Bien sûr,
il y a des mères qui sont contentes
que leur enfant grandisse !

Antiveduto Gramatica

Souvent,
les mères lisent des histoires…

Rembrandt

Mais la mère aime aussi
qu'on lui lise une histoire.

Gérard ter Borch

Certaines mères
partent travailler le matin…

Paul Véronèse

... et elles sont pressées de rentrer
le soir !

Honoré Daumier

D'autres mères
restent travailler à la maison…

Auguste Renoir

… et elles sont pressées de sortir
le soir !

Félix Vallotton

Il y a des mères qui adorent discuter au café avec une amie.

Edward Hopper

Mais presque toutes ont envie
qu'on les emmène danser.

Raoul Dufy

La mère
de ma mère,
c'est ma grand-mère…

Jacob Jordaens

… mais la mère
de mon père
c'est aussi ma grand-mère !

Couverture et gardes : *Livia da Porta et sa fille Porzia*, détail, Véronèse, Walters Art Gallery, Baltimore.

p. 7 : *Près de la rivière*, détail, Lanoa, coll. part.

p. 9 : *L'étreinte*, détail, Picasso, musée des Beaux-Arts Pouchkine, Moscou, © Succession Picasso 1998.

p. 11 : *La Madonna del Parto*, détail, Piero della Francesca, chiesa di Monterchi.

p. 13 : *La tempête*, détail, Giorgione, Academia, Venise.

p. 15 : *Nativité*, détail, La Tour, musée des Beaux-Arts, Rennes.

p. 17 : *Vierge à l'enfant*, détail, Berruguete, galerie des Offices, Florence.

p. 19 : *Maternité*, détail, Picasso, coll. Alex Hilman, New-York, © Succession Picasso 1998.

p. 21 : *Iosias-Ieconias-Salathiel*, détail, Michel-Ange, chapelle Sixtine, Rome.

p. 23 : *Vierge à l'enfant*, Uccello, National Gallery of Ireland, Dublin.

p. 25 : *La Sainte Famille*, détail, Gramatica, musée des Offices, Florence.

p. 27 : *Sainte Famille avec les anges*, détail, Rembrandt, musée de l'Ermitage, Saint-Pétersbourg.

p. 29 : *La leçon de lecture*, détail, ter Borch, musée du Louvre, Paris.

p. 31 : *Livia da Porta et sa fille Porzia*, détail, Véronèse, Walters Art Gallery, Baltimore.

p. 33 : *Le fardeau*, détail, Daumier, Narodni Galerie, Prague.

p. 35 : *Mère et enfant*, détail, Renoir, coll. Barnes, Philadelphie.

p. 37 : *Au café*, détail, Vallotton, coll. part.

p. 39 : *Chop Suey*, détail, Hopper, coll. part., © D.R.

p. 41 : *Réception nautique*, détail, Dufy, coll. part. , © ADAGP Paris 1998.

p. 43 : *La famille Jordaens dans un jardin*, détail, Jordaens, Prado, Madrid.

Les œuvres de Picasso des pages 9 et 19 ne sont pas reproduites dans leur intégralité, la mise en page de cet ouvrage nous contraignant à des recadrages.